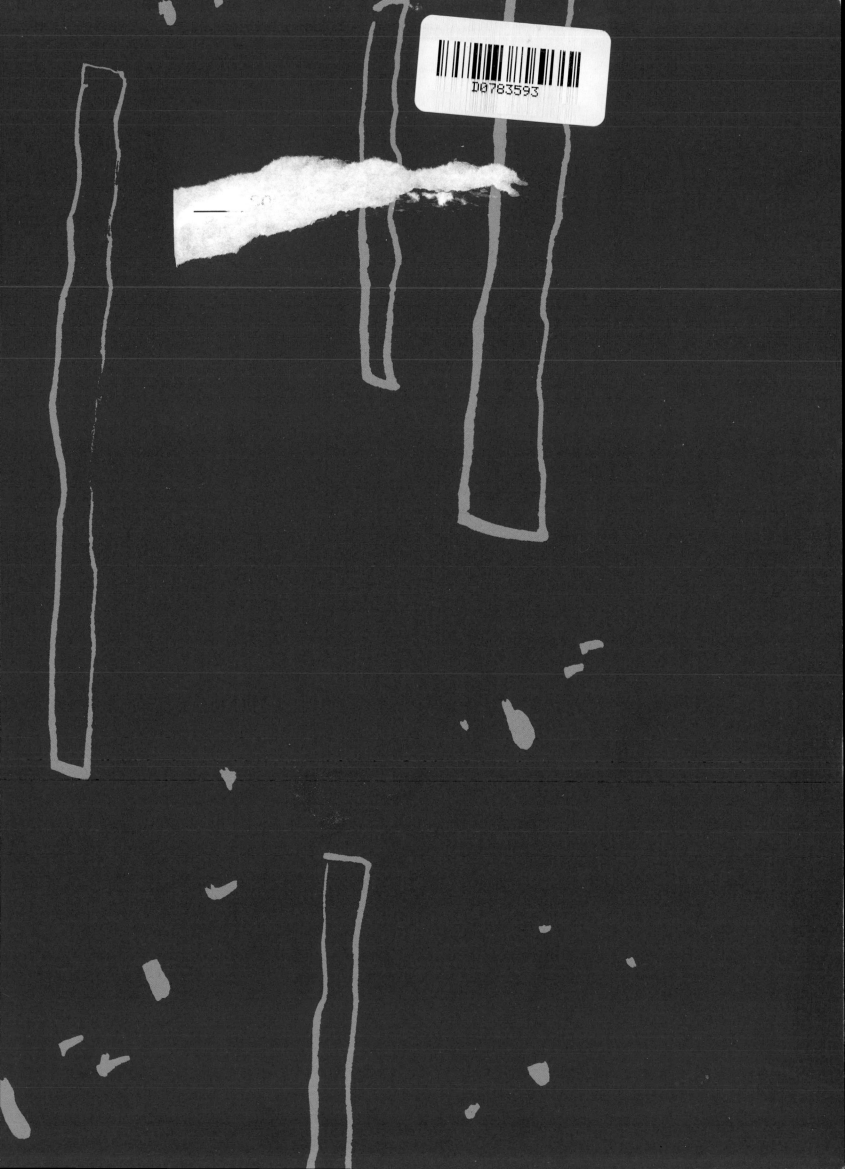

Joann Sfar

Le Petit Prince

D'après l'œuvre d'Antoine de Saint-Exupéry

Couleurs de Brigitte Findakly

Gallimard

Pour Sandrina
J. S.

L'auteur remercie Olivier d'Agay, Thomas Rivière, Marc du Pontavice, Lewis Trondheim, Gérard Feldzer, Marie-Christine Poilpré, Marc Picol, John Phillips et la Maison des auteurs à Angoulême.

DU MÊME AUTEUR

À L'Association :
NOYÉ LE POISSON
LE BORGNE GAUCHET AU CENTRE DE LA TERRE
LE BORGNE GAUCHET
LE PETIT MONDE DU GOLEM
PASCIN (six volumes)
PASCIN - La java bleue
PARIS-LONDRES
HARMONICA
UKULÉLÉ
PARAPLUIE
PIANO
CARAVAN

Chez Bayard :
L'ÎLE AUX PIRATES avec A. Alméras

Chez Bréal :
LA PETITE BIBLIOTHÈQUE PHILOSOPHIQUE
DE JOANN SFAR (deux volumes)
MONSIEUR CROCODILE A BEAUCOUP FAIM
L'ATROCE ABÉCÉDAIRE
LA SORCIÈRE ET LA PETITE FILLE

Chez Cornélius :
LES AVENTURES D'OSSOUR HYRSIDOUX
(deux volumes)

Chez Dargaud :
MERLIN (quatre volumes) avec J.-L. Munuera
LA VILLE DES MAUVAIS RÊVES avec David B.
LE MINUSCULE MOUSQUETAIRE (trois volumes)
SOCRATE, LE DEMI-CHIEN (deux volumes) avec C. Blain
LE CHAT DU RABBIN (cinq volumes)
LA VALLÉE DES MERVEILLES
SARDINES DE L'ESPACE (trois volumes) avec E. Guibert

Chez Delcourt :
PROFESSEUR BELL (cinq volumes) avec Tanquerelle
PETIT VAMPIRE (sept volumes)
PETRUS BARBYGÈRE avec P. Dubois
TROLL (cinq volumes) avec J.-D. Morvan et O. G. Boiscommun
LES POTAMOKS (trois volumes) avec Munuera
ROMANS PETIT VAMPIRE (deux volumes) avec S. Jardel
LE BESTIAIRE AMOUREUX (quatre volumes)
LES CARNETS DE JOANN SFAR (quatre volumes)

En collaboration avec Lewis Trondheim :
DONJON ZÉNITH (six volumes)
DONJON CRÉPUSCULE (cinq volumes)
DONJON POTRON-MINET (quatre volumes) avec C. Blain
DONJON PARADE (cinq volumes) avec M. Larcenet
DONJON MONSTERS (douze volumes) avec Mazan,
J.-C. Menu, Andreas, Blanquet, Vermot-Desroches,
Yoann, Blutch, Nine, Killoffer, Bezian
DONJON BONUS avec A. Moragues

Chez Denoël :
L'HOMME-ARBRE (deux volumes)

Chez Dupuis :
Avec E. Guibert :
LA FILLE DU PROFESSEUR
LES OLIVES NOIRES (trois volumes)

Chez Gallimard :
KLEZMER (trois volumes)
ORANG-OUTAN avec S. Jardel

Chez Nathan :
DES ANIMAUX FANTASTIQUES avec C. Blain et B. Coppin
CONTES ET RÉCITS DES HÉROS
DU MOYEN ÂGE avec G. Massardier

DANS LA MÊME COLLECTION

LES CONTES DU CHAT PERCHÉ par Agnès Maupré
d'après l'œuvre de Marcel Aymé

UNE FANTAISIE DU DOCTEUR OX par Mathieu Sapin
d'après l'œuvre de Jules Verne

HARRY EST FOU par Rabaté
d'après l'œuvre de Dick King-Smith

LE ROMAN DE RENART (deux volumes)
par Bruno Heitz

ZAZIE DANS LE MÉTRO
par Clément Oubrerie
d'après l'œuvre de Raymond Queneau

LE PETIT PRINCE, le conte d'Antoine de Saint-Exupéry,
est disponible chez Gallimard Jeunesse en Folio Junior (n° 100).

Il a été tiré de l'édition originale de cet ouvrage
cent exemplaires hors commerce numérotés de 1 à 100
et portant la signature autographe de l'auteur.

FÉTICHE

© Gallimard Jeunesse, 2008

N° d'édition : 146513   ISBN : 978-2-07-060339-8
Loi n°49-956 du 16 juillet 1949 sur les publications destinées à la jeunesse
Dépôt légal : septembre 2008   Imprimé en France par Qualibris / Cl
Première édition
www.gallimard-jeunesse.fr

Les grandes personnes m'ont conseillé de laisser de côté le dessin.

Les grandes personnes ne comprennent jamais rien toutes seules.

J'ai beaucoup vécu chez les grandes personnes. Je les ai vues de très près. Ça n'a pas trop amélioré mon opinion.

Je leur parle de bridge, de golf, de politique et de cravates.

Jamais de serpent boa.

On n'a rien d'intéressant à se dire.

4

Mais...

Qu'est-ce que tu fais là ?

S'il vous plaît, dessine-moi un mouton.

18

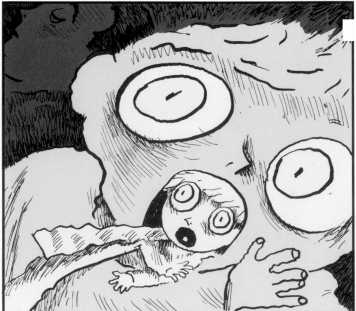

23

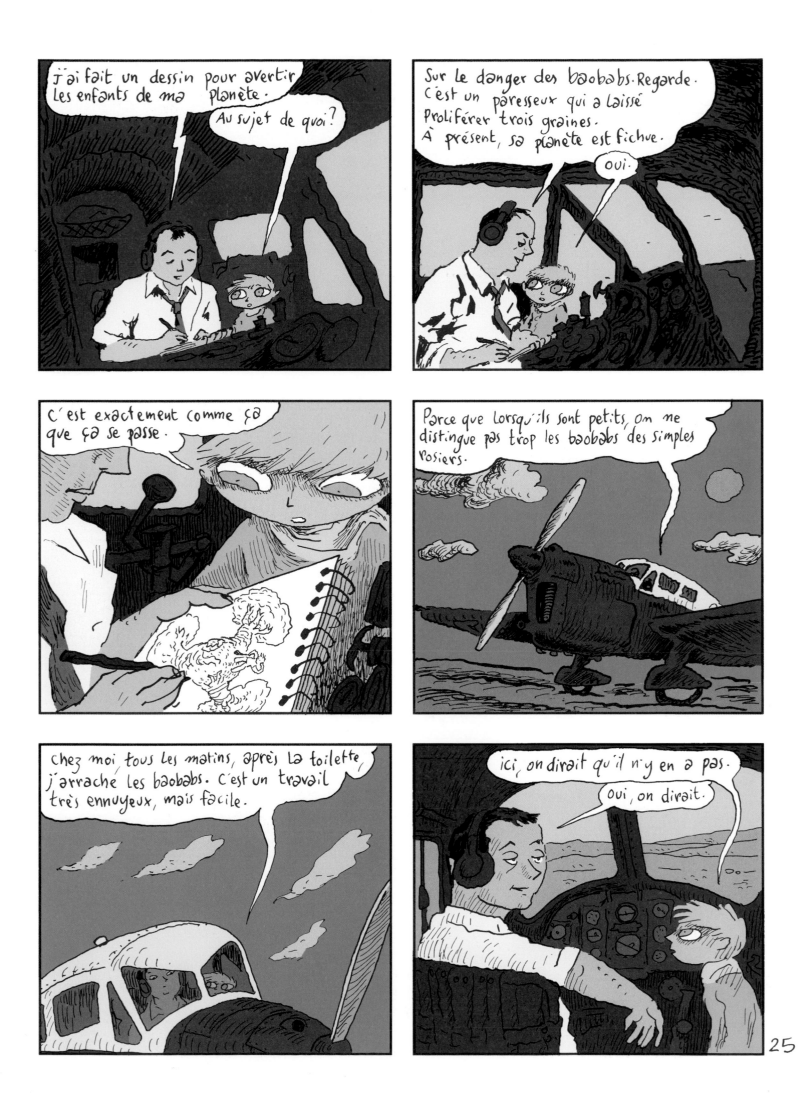

Enfants, faites attention aux baobabs.

Les graines sont invisibles. Elles dorment dans le secret de la terre jusqu'à ce qu'il prenne fantaisie à l'une d'elles de se réveiller.

Alors elle s'étire, et pousse d'abord vers le soleil une ravissante petite brindille inoffensive.

S'il s'agit d'une brindille de radis ou de rosier, on peut la laisser pousser comme elle veut.

Mais s'il s'agit d'une mauvaise plante, il faut l'arracher aussitôt.

Enfants, faites attention aux baobabs

26

28

29

31

Il ne put rien dire de plus. Il éclata brusquement en sanglots.

Il y avait sur la Terre un petit prince à consoler.

Je le pris dans mes bras. Je le berçai.

Je lui disais: "la fleur que tu aimes n'est pas en danger."

Je lui dessinerai une muselière, à ton mouton.

Je te dessinerai une armure pour ta fleur

...je...

Il y avait toujours eu, sur la planète du petit prince, des fleurs très simples, qui ne tenaient point de place et ne dérangeaient personne.

Elles apparaissaient un matin dans l'herbe et puis elles s'éteignaient le soir.

Mais celle-là avait germé un jour, d'une graine apportée d'on ne sait où. Et le petit prince avait surveillé de très près cette brindille qui ne ressemblait pas aux autres brindilles.

Le petit prince, qui assistait à l'installation d'un bouton énorme, sentait bien qu'il en sortirait une apparition miraculeuse.

Mais la fleur n'en finissait pas de se préparer à être belle, à l'abri de sa chambre verte. Elle choisissait avec soin ses couleurs.

Elle s'habillait lentement.

34

Ainsi l'avait-elle bien vite tourmenté par sa vanité un peu ombrageuse. Un jour, par exemple, parlant de ses quatre épines, elle avait dit au petit prince.

Ils peuvent venir, les tigres, avec leurs griffes!

Il n'y a pas de tigres sur ma planète.

Et puis les tigres me mangent pas d'herbe.

Je ne suis pas une herbe.

Pardonnez-moi.

Je ne crains rien des tigres, mais j'ai horreur des courants d'air. Vous n'auriez pas un paravent ?

Ça va comme ça ?

Hmmm... non. Je veux un vrai paravent.

Le soir, vous me mettrez sous globe. Il fait très froid chez vous.

Ainsi le petit prince, malgré la bonne volonté de son amour, avait vite douté d'elle.

Il avait pris au sérieux des mots sans importance et était devenu très malheureux.

J'aurais dû ne pas l'écouter. Il ne faut jamais écouter les fleurs. Il faut les regarder et les respirer.

La mienne embaumait ma planète, mais je ne savais pas m'en réjouir. Ses histoires de tigres et de courants d'air qui m'avaient tellement agacé auraient dû m'attendrir.

Je n'aurais jamais dû m'enfuir! J'aurais dû deviner la tendresse derrière ses pauvres ruses.

Mais j'étais trop jeune pour savoir l'aimer.

Je crois qu'il profita, pour son évasion, d'une migration d'oiseaux sauvages.

Au matin du départ, il mit sa planète bien en ordre. Il ramona soigneusement ses volcans en activité.

Il possédait aussi un volcan éteint. Mais comme il disait "on ne sait jamais".

Il ramona donc également le volcan éteint.

Sur terre vous êtes trop petits pour ramoner vos volcans. C'est pour ça...

... qu'ils vous causent tant d'ennuis.

43

Il se trouvait dans la région des astéroïdes 325, 326, 327, 328, 329 et 330.

Il commença donc par les visiter pour y chercher une occupation et pour s'instruire.

Le premier était habité par un roi.

Le roi siégeait, habillé de pourpre et d'hermine, sur un trône très simple et cependant majestueux.

Ah!

Voilà un sujet.

Comment savez-vous que je suis votre sujet, on ne s'est jamais vus.

Tous les Hommes sont mes sujets.

Ah...

45

Et les étoiles vous obéissent ?

Bien sûr. Je me tolère pas l'indiscipline.

OOOOOOOOOOOOOOh...

éééééoui...

S'il vous plaît, je voudrais voir un coucher de soleil... faites-moi plaisir. Ordonnez au soleil de se coucher.

nmmm non. Je suis un monarque absolu mais je règne avec raison.

???

Si j'ordonnais à un général de se changer en oiseau de mer et si le général n'exécutait pas l'ordre reçu, qui serait dans son tort ? lui ou moi ?

Ce serait vous.

Exact.

il faut exiger de chacun ce que chacun peut donner.

47

49

Trois et deux font cinq.
Cinq et sept douze.

La quatrième planète était celle d'un businessman.

Douze et trois quinze.
Bonjour.

BZZZZZ.

ANCRE

Cet homme était si occupé qu'il ne leva même pas la tête à l'arrivée du petit prince.

quinze et sept vingt-deux.
vingt-deux et six vingt-huit.

Votre cigarette est éteinte.

Pas le temps de la rallumer.

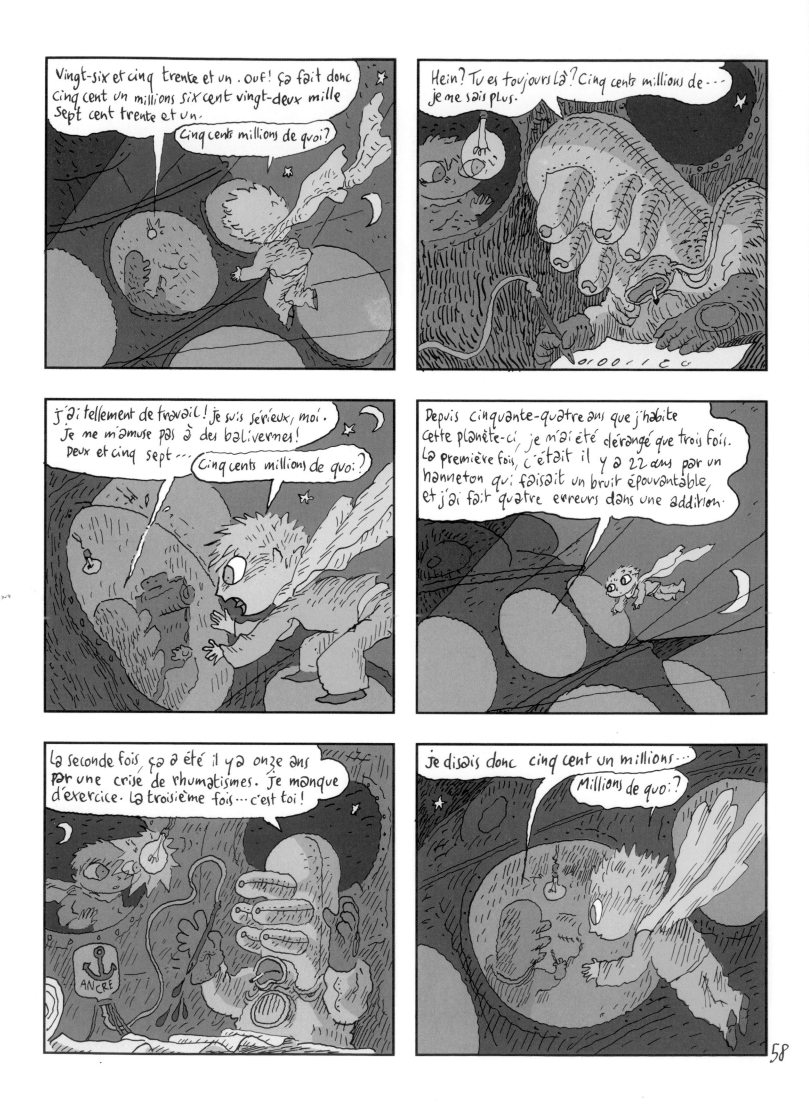

58

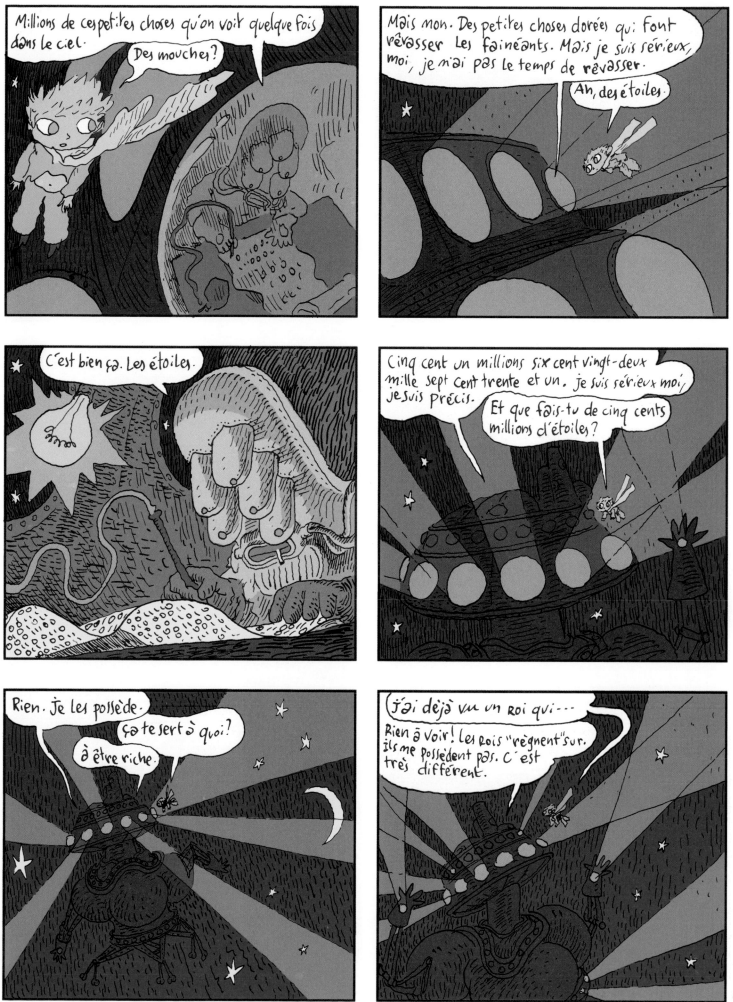

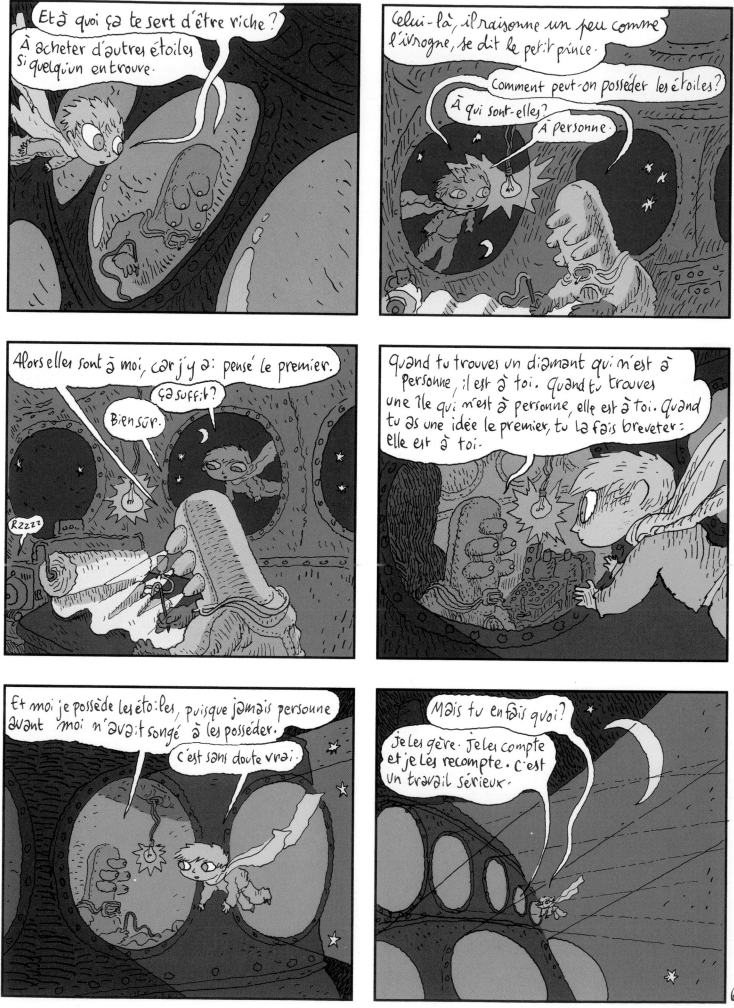

La cinquième planète était la plus petite de toutes. Il y avait là juste assez de place pour loger un réverbère.

Le Petit Prince ne parvenait pas à s'expliquer à quoi pouvait servir, sur une planète sans maison ni population, un réverbère et un allumeur de réverbères.

Peut-être bien que cet homme est absurde.

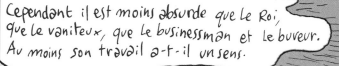

Cependant il est moins absurde que le Roi, que le vaniteux, que le businessman et le buveur. Au moins son travail a-t-il un sens.

Quand il allume son réverbère, c'est comme s'il faisait naître une étoile de plus, ou une fleur. Quand il éteint son réverbère, ça endort la fleur ou l'étoile. C'est une occupation très jolie.

C'est véritablement utile puisque c'est joli.

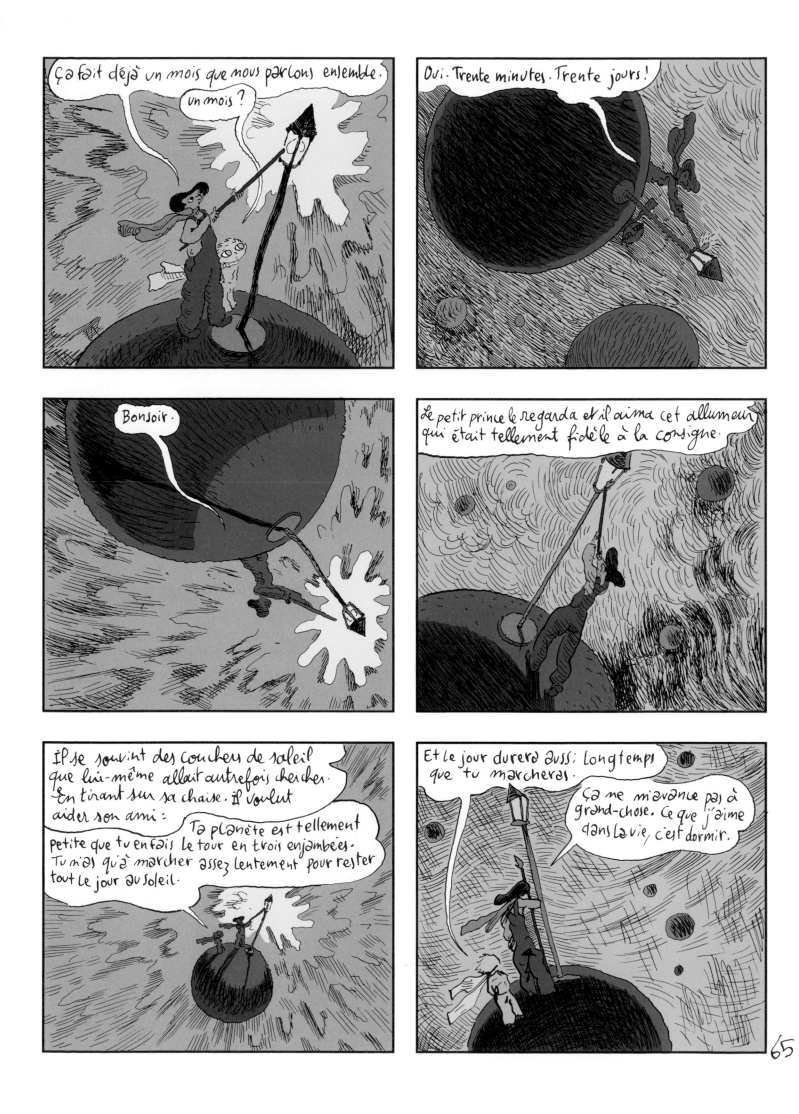

Parce que les ivrognes voient double. Alors le géographe noterait deux montagnes là où il n'y en a qu'une seule.

Je connais quelqu'un qui serait mauvais explorateur.

C'est possible. En tout cas, quand la moralité de l'explorateur paraît bonne, on enquête sur sa découverte.

On va voir?

Non, c'est trop compliqué.

On demande à l'explorateur de rapporter des preuves. Par exemple, s'il dit avoir découvert une grosse montagne, on exige qu'il rapporte de grosses pierres...
... Hé!...

... mais toi, tu viens de loin ! Tu es explorateur! Tu vas me décrire ta planète!

J'écris d'abord au crayon, tu comprends...

Je mettrai à l'encre quand tu m'auras fourni des preuves.

70

La Terre n'est pas une planète quelconque! On y compte cent onze rois, sept mille géographes, neuf cent mille businessmen, sept millions et demi d'ivrognes, trois cent onze millions de vaniteux.

C'est-à-dire environ deux milliards de grandes personnes.

Pour vous donner une idée des dimensions de la Terre, je vous dirai qu'avant l'invention de l'électricité on devait y entretenir, sur l'ensemble des six continents, une véritable armée de quatre cent soixante-deux mille cinq cent onze allumeurs de réverbères.

Vu d'un peu loin ça faisait un effet splendide.

Le petit prince, une fois sur Terre, fut donc bien surpris de ne voir personne.

Il avait déjà peur de s'être trompé de planète quand un anneau couleur de lune remua dans le sable.

Je puis t'aider si un jour tu regrettes trop ta planète. Je puis...
Oh, j'ai très bien compris. Mais pourquoi parles-tu toujours par énigmes?
Je les résous toutes.
Le petit prince traversa le désert et ne rencontra qu'une fleur.
Bonjour.
Bonjour.
Une fleur à trois pétales, une fleur de rien du tout...
Où sont les hommes?
Les hommes? Il en existe, je crois, six ou sept.
Je les ai aperçus il y a des années. Mais on ne sait jamais où les trouver. Le vent les promène. Ils manquent de racines, ça les gêne beaucoup.
Adieu.
Adieu

Mais il arriva que le petit prince, ayant longtemps marché à travers les sables, les rocs et les neiges, découvrit enfin une route. Et les routes vont toutes chez les hommes.

Bonjour.

C'était un jardin fleuri de roses.

Bonjour

Bonjour.

Bonjour.

Le petit prince les regarda. Elles ressemblaient toutes à sa fleur.

Qui êtes-vous ?

Nous sommes des roses.

Et il se sentit très malheureux.

Elle serait bien vexée si elle voyait ça.

Sa fleur lui avait raconté qu'elle était la seule de son espèce dans l'univers.

Elle tousserait énormément et ferait semblant de mourir pour échapper au ridicule. Et je serais bien obligé de faire semblant de la soigner.

Car sinon, pour m'humilier moi aussi, elle se laisserait vraiment mourir.

Qu'est-ce que signifie "apprivoiser"?
C'est une chose trop oubliée. Ça signifie créer des liens.
Créer des liens?
Bien sûr. Tu n'es encore pour moi qu'un petit garçon semblable à cent mille autres. Et je n'ai pas besoin de toi. Et tu n'as pas besoin de moi non plus. Je ne suis pour toi qu'un renard semblable à cent mille renards.
Mais, si tu m'apprivoises, nous aurons besoin l'un de l'autre. Tu seras pour moi unique au monde. Je serai pour toi unique au monde.
Je commence à comprendre.
Il y a une fleur... je crois qu'elle m'a apprivoisé.
C'est possible. On voit sur Terre toutes sortes de choses.
Oh! Ce n'est pas sur Terre.
Sur une autre planète?
Il y a des chasseurs sur cette planète-là?
Non.
Ça, c'est intéressant! Et des poules?
Non.
Rien n'est parfait.

Puis il revint vers le renard.
Adieu.
Adieu. Voici mon secret. il est très simple.
On ne voit bien qu'avec le coeur. L'essentiel est invisible pour les yeux.
l'essentiel est invisible pour les yeux.
C'est le temps que tu as perdu pour ta rose qui fait ta rose si importante.
C'est le temps que j'ai perdu pour ma rose.
Tu deviens responsable pour toujours de ce que tu as apprivoisé. Tu es responsable de ta rose...
"je suis responsable de ma rose" répéta le petit prince afin de se souvenir.

C'est bien d'avoir eu un ami, même si l'on va mourir. Moi, je suis bien content d'avoir eu un ami renard.

"Il ne mesure pas le danger, me dis-je. Il n'a jamais ni faim ni soif. Un peu de soleil lui suffit."

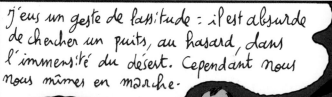

Mais il me regarda et répondit à ma pensée. J'ai soif aussi... cherchons un puits...

J'eus un geste de lassitude : il est absurde de chercher un puits, au hasard, dans l'immensité du désert. Cependant nous nous mîmes en marche.

Tu as donc soif toi aussi ? l'eau peut aussi être bonne pour le cœur.

Je ne compris pas sa réponse mais je me tus. Je savais bien qu'il ne fallait pas l'interroger.

87

J'étais ému.

Il me semblait porter un trésor fragile.

Il me semblait même qu'il n'y eût rien de plus fragile sur la Terre.

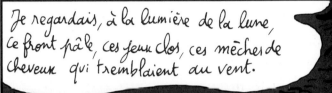

Je regardais, à la lumière de la lune, ce front pâle, ces yeux clos, ces mèches de cheveux qui tremblaient au vent.

Et je me disais: "Ce que je vois là n'est qu'une écorce.

Le plus important est invisible..."

Comme ses lèvres entrouvertes ébauchaient un demi-sourire je me dis encore: "Ce qui m'émeut si fort, de ce petit prince endormi, c'est sa fidélité pour une fleur...

... c'est l'image d'une rose qui rayonne en lui comme une lampe, même quand il dort."

Et je le devinai plus fragile encore.

Et marchant ainsi, je découvris le puits au lever du jour.

Ce puits ne ressemblait pas à un puits saharien. Les puits sahariens sont de simples trous creusés dans le sable.

Celui-là ressemblait à un puits de village. Mais il n'y avait là aucun village, et je croyais rêver.

Il rit, toucha la corde, fit jouer la poulie.

Laisse-moi faire, c'est trop lourd pour toi.

Lentement, je hissai le seau jusqu'à la margelle. Je l'y installai bien d'aplomb.

Dans mes oreilles durait le chant de la poulie et, dans l'eau qui tremblait encore, je voyais trembler le soleil.

J'ai soif de cette eau-là. Donne-moi à boire.

Et je compris ce qu'il avait cherché! Je soulevai le seau jusqu'à ses lèvres. Il but, les yeux fermés.

91

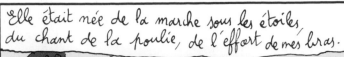

C'était doux comme une fête. Cette eau était bien autre chose qu'un aliment.

Elle était née de la marche sous les étoiles, du chant de la poulie, de l'effort de mes bras.

Elle était bonne pour le cœur, comme un cadeau.

J'avais bu. Je respirais bien. Le sable, au lever du jour, est couleur de miel.

J'étais heureux aussi de cette couleur de miel

Pourquoi fallait-il que j'eusse de la peine...

95

96

J'avais défait son éternel cache-nez d'or. Je lui avais mouillé les tempes et l'avais fait boire.

Et maintenant je n'osais plus rien lui demander. Il me regarda gravement et m'entoura le cou de ses bras.

Je sentais battre son cœur comme celui d'un oiseau qui meurt, quand on l'a tiré à la carabine.

Je suis content que tu aies trouvé ce qui manquait à ta machine.

Tu vas pouvoir rentrer chez toi.

Comment sais-tu ?

Je venais justement lui annoncer que, contre toute espérance, j'avais réussi mon travail.

Moi aussi, aujourd'hui, je rentre chez moi.

C'est bien plus loin. C'est bien plus difficile.

98

Tu regarderas, la nuit, les étoiles. C'est trop petit chez moi pour que je te montre où se trouve la mienne. C'est mieux comme ça.

Mon étoile, ça sera pour toi une des étoiles. Alors toutes les étoiles, tu aimeras les regarder. Elles seront toutes tes amies.

J'aime entendre quand tu ris.

Ce rire, ça sera mon cadeau. Les autres gens ont des étoiles qui ne rient pas.

Quand tu regarderas le ciel, la nuit, puisque j'habiterai dans l'une d'elles, puisque je rirai dans l'une d'elles, alors ce sera pour toi comme si riaient toutes les étoiles.

Tu auras, toi, des étoiles qui savent rire.

Et quand tu seras consolé (on se console toujours) tu seras content de m'avoir connu. Tu seras toujours mon ami.

103

Il hésita encore un peu puis il se releva.
Il fit un pas.

Moi je ne pouvais pas bouger.

Il n'y eut rien qu'un éclair jaune
près de sa cheville.

Il tomba doucement comme tombe
un arbre.

Ça ne fit même pas de bruit.

à cause du sable.

Et maintenant, bien sûr, ça fait six ans déjà.

Je n'ai jamais encore raconté cette histoire. Les camarades qui m'ont revu ont été bien contents de me revoir vivant.

J'étais triste mais je leur disais : "C'est la fatigue"

Je sais bien qu'il est revenu à sa planète, puisqu'au lever du jour je n'ai pas retrouvé son corps.

Sa muselière!

J'ai oublié d'y ajouter la courroie en cuir.

Il n'aura jamais pu l'attacher à son mouton.

Que s'est-il passé sur sa planète?

Peut-être bien que le mouton a mangé la fleur...

tantôt je me dis:

Sûrement non.

Le petit prince enferme sa fleur toutes les nuits sous son globe de verre, et il surveille bien son mouton.

Alors je suis heureux. Et toutes les étoiles rient doucement.

Tantôt je me dis: on est distrait une fois ou l'autre et ça suffit! Il a oublié, un soir, le globe de verre, ou bien le mouton est sorti sans bruit pendant la nuit.

Alors les grelots se changent tous en larmes.

Rien de l'univers n'est semblable si quelque part, on ne sait où, un mouton que nous ne connaissons pas a, oui ou non, mangé une rose.

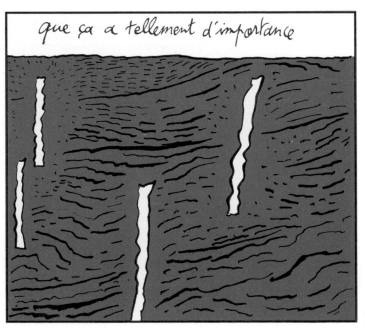

107

Ça, c'est pour moi le plus beau et le plus triste paysage du monde.

C'est le même paysage que celui de la page précédente, mais je l'ai dessiné une fois encore pour bien vous le montrer. C'est ici que le petit prince a apparu sur Terre, puis disparu.

Regardez attentivement ce paysage afin d'être sûrs de le reconnaître, si vous voyagez un jour en Afrique, dans le désert. Et s'il vous arrive de passer par là, je vous en supplie, ne vous pressez pas. Attendez un peu juste sous l'étoile !

Si alors un enfant vient à vous, s'il rit, s'il a des cheveux d'or, s'il ne répond pas quand on l'interroge, vous devinerez bien qui il est.

Alors soyez gentils ! Ne me laissez pas tellement triste.

Écrivez-moi vite qu'il est revenu...